# FAVOLE DI ESOPO

*Illustrazioni:* Matteo Gaggia

**Redazione Gribaudo**
Via Garofoli, 262
37057 San Giovanni Lupatoto (VR)
redazione@gribaudo.it

*Responsabile iniziative speciali:* Massimo Pellegrino
*Responsabile editoriale:* Franco Busti
*Responsabile di redazione:* Laura Rapelli
*Redazione:* Claudia Presotto
*Responsabile grafico e progetto:* Meri Salvadori
*Fotolito e prestampa:* Federico Cavallon, Fabio Compri
*Segreteria di redazione:* Daniela Albertini

FSC
www.fsc.org
MISTO
Carta
da fonti gestite in
maniera responsabile
FSC® C101934

Stampa e confezione: Grafiche Busti srl, Colognola ai Colli (VR),
azienda certificata FSC®-COC con codice CQ-COC-000104

© 2014 GRIBAUDO - IF - Idee editoriali Feltrinelli srl
Socio Unico Giangiacomo Feltrinelli Editore srl
Via Andegari, 6 - 20121 Milano
info@gribaudo.it
www.feltrinellieditore.it/gribaudo/

*Prima edizione:* 2014 [11(H)]
*Seconda edizione:* 2015 [1(S)]
*Terza edizione:* 2015 [6(H)]
*Quarta edizione:* 2015 [9(M)] 978-88-580-1296-3

IL RAZZISMO
È UNA
BRUTTA STORIA.
razzismobruttastoria.net

# FAVOLE DI ESOPO

ILLUSTRAZIONI DI
**MATTEO GAGGIA**

GRIBAUDO

# INTRODUZIONE

Lupi e capretti, volpi e rane, serpenti e asini sono solo alcuni dei tanti animali protagonisti delle favole di Esopo, capolavori senza tempo. Attraverso gli animali l'autore descrive un variopinto affresco dei sentimenti, dei comportamenti e delle situazioni che ognuno di noi sperimenta quotidianamente.

Vizi e virtù sono personificati dagli animali: la volpe è l'emblema della furbizia, il lupo dell'avidità, il leone della forza, il pavone della vanità... Attraverso questi brevi racconti Esopo, come in un teatro, mette in scena episodi della vita di tutti i giorni e fa scoprire al lettore valori e norme universali di comportamento.

Dalle favole più note, alcune divenute addirittura proverbiali, come *La volpe e l'uva*, *La cicala e la formica*, *Il topo di città e il topo di campagna* a quelle meno conosciute, come *Il granchio e la volpe*, *Il pavone e la gru*, *L'astronomo*, questa preziosa raccolta da leggere con i propri bambini offre inesauribili spunti di riflessione sulla vita e sulla natura dell'uomo.

# LA VOLPE E LA CICOGNA

Una volpe e una cicogna erano amiche.
Un giorno la volpe invitò a pranzo la cicogna
e per farle uno scherzo le servì la minestra
in una scodella poco profonda:

la cicogna riusciva
solo a bagnarsi
la punta del becco
e, dopo pranzo,
era più affamata
di prima.

La cicogna ricambiò la cortesia e invitò a pranzo
la volpe, servendo il cibo in vasi dal collo
lungo e stretto, in cui la volpe non riusciva a infilare
il muso: leccava solo l'esterno del suo vaso,
mentre la cicogna vi tuffava il becco
e si gustava la minestra.

Fu così che la volpe
burlona venne a sua volta
presa in giro.
Chi la fa, la aspetti!

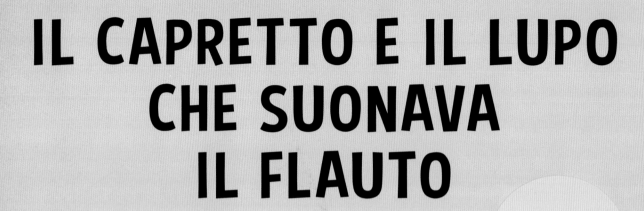

# IL CAPRETTO E IL LUPO CHE SUONAVA IL FLAUTO

Un capretto stava brucando l'erba,
ormai di ritorno dal pascolo, quando qualcosa
sbucò fuori da dietro i cespugli, e gli fece
prendere un grande spavento: era il lupo!

Il capretto si fece coraggio e disse:
«Carissimo lupo, so che sarò il tuo spuntino,
ma perché prima di mangiarmi non mi suoni
il tuo flauto?».
Così il lupo iniziò a suonare e il capretto
si mise a danzare per lui.

«Ancora!» gridava il capretto, e il lupo suonava
più forte che poteva... così forte che i cani da pastore
accorsero rapidi in soccorso del capretto,
facendo fuggire il lupo a gambe levate.

«Che sciocco sono stato, avrei dovuto mangiarti
e non mettermi a suonare!» urlava il lupo al capretto.
Sapeva che era solo sua la colpa di aver perso
una preda certa.

# LA LEPRE
# E LA TARTARUGA

Una lepre si vantava con gli altri animali: «Nessuno può battermi in velocità. Sfido chiunque a correre come me». Una tartaruga, con la sua proverbiale calma, disse: «Accetto la sfida». «Questa è buona!» esclamò la lepre, e scoppiò a ridere. «Non vantarti prima di aver vinto» la avvertì la tartaruga.

Così fu dato il via alla gara. La lepre partì come un fulmine.
Poi, per mostrare la sua sicurezza e il suo disprezzo,
si fermò e si sdraiò a fare un sonnellino.
La tartaruga, intanto, avanzava
un passo dopo l'altro.

Quando la lepre si svegliò, si accorse
con sorpresa che la rivale era molto
vicina al traguardo! Allora si mise
a correre con tutte le sue forze,
ma ormai era troppo tardi per vincere.

La tartaruga, tagliando il traguardo, osservò:
«Non serve correre, basta partire in tempo».

# LA CICALA E LA FORMICA

Era estate e le formiche raccoglievano il grano,
mentre le cicale cantavano e ballavano.

D'inverno, poi, le formiche facevano
asciugare il loro grano al sole.
Una cicala affamata andò a chiedere loro
del cibo, ma queste domandarono:
«Perché durante l'estate non hai fatto
anche tu provviste?».

La cicala rispose:
«Non avevo tempo, ma ho cantato armoniosamente».

E le formiche, ridendole in faccia,
le dissero: «Beh, se d'estate cantavi,
d'inverno balla».

Nella vita bisogna essere previdenti,
per non trovarsi in difficoltà
nel momento del bisogno.

# LE RANE CHE VOLEVANO UN RE

Le rane volevano un re a tutti i costi.

Zeus allora, per accontentarle, gettò in mezzo allo stagno
un pezzo di legno. Le rane, impaurite dal tonfo,
si immersero tutte nel fondo dell'acqua.

Vedendo che il pezzo di legno rimaneva a galla,
le rane riemersero e cominciarono a salirci sopra,
saltare, tuffarsi. Disprezzavano quel re perché
era immobile e ne chiesero a Zeus
uno più attento e meno pigro.

Arrabbiato per questa richiesta, Zeus disse:
«Ecco il vostro nuovo re!» e gettò nello stagno
un serpente acquatico che si divorò le rane,
una dopo l'altra.

# L'ASINO
# CHE PORTAVA IL SALE

Un asino aiutava il suo padrone, trasportando un carico di sale. Lungo la strada, mentre cercava di attraversare un fiume, scivolò e cadde nell'acqua. Quando si rialzò si sentiva leggero: il sale si era sciolto, ma lui non lo sapeva e pensò di aver scoperto un trucco magico.

Dopo qualche giorno, l'asino si trovò lungo
la stessa strada con un carico di spugne.
Pensò di replicare la sua magia e, convinto di fare
meno fatica, si tuffò nell'acqua del fiume
per alleggerire il suo carico.

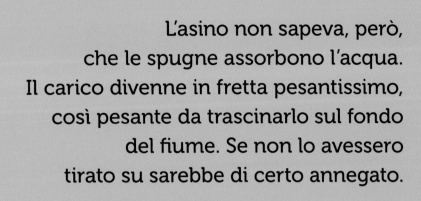

L'asino non sapeva, però,
che le spugne assorbono l'acqua.
Il carico divenne in fretta pesantissimo,
così pesante da trascinarlo sul fondo
del fiume. Se non lo avessero
tirato su sarebbe di certo annegato.

Come l'asino, spesso gli uomini
non si accorgono di essere loro stessi
la causa del loro male.

# ZEUS E LA TARTARUGA

Per festeggiare le sue nozze,
Zeus invitò ogni animale a un ricco
banchetto nel suo palazzo.
Tutti parteciparono alla festa,
tranne la tartaruga, così Zeus
la mandò a chiamare.

41

«Perché non sei venuta alla mia festa?»
E la tartaruga rispose:
«Non c'è posto migliore di casa mia;
la mia casa è la mia reggia!».

Zeus, a sentire queste parole,
si arrabbiò molto...
E, per punizione, decise
che la tartaruga si sarebbe
portata sempre sulle spalle
la sua casa e il peso di ciò
che aveva detto.

# LA ZANZARA E IL LEONE

Una zanzara, avvicinatasi a un leone, gli disse:
«Io non ho paura di te: tu non sei più forte di me.
Tu graffi con le unghie e mordi con i denti,
ma io sono molto più forte di te; anzi, ti sfido
a un combattimento».

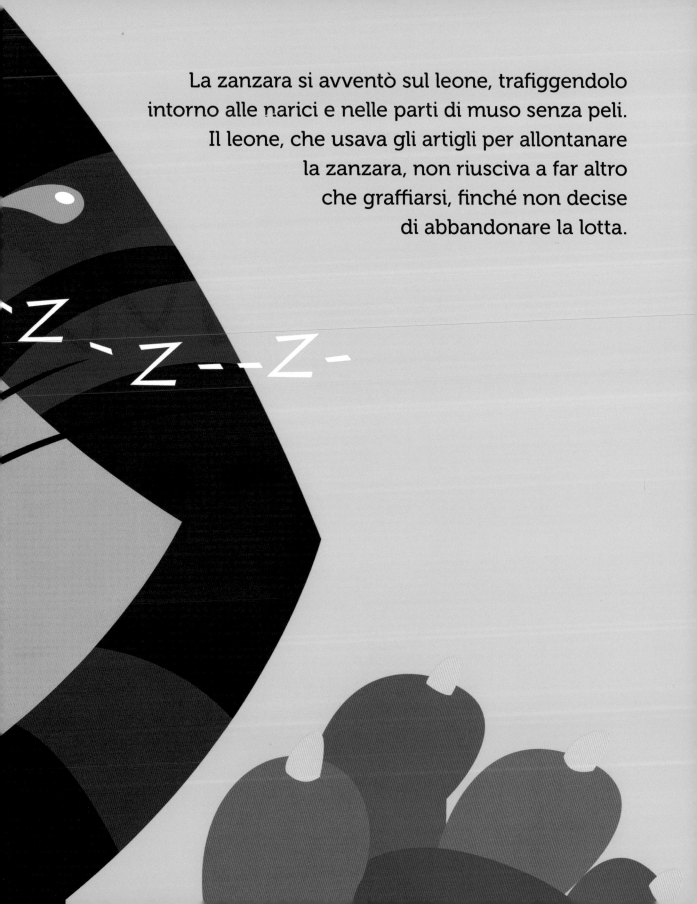

La zanzara si avventò sul leone, trafiggendolo
intorno alle narici e nelle parti di muso senza peli.
Il leone, che usava gli artigli per allontanare
la zanzara, non riusciva a far altro
che graffiarsi, finché non decise
di abbandonare la lotta.

-Z-ᷰ-Z--Z-

Allora la zanzara vittoriosa, suonando
la tromba tutta soddisfatta, se ne volò via;
ma, impigliatasi in una ragnatela, mentre
stava per essere mangiata si lamentò:
«Proprio io, abituata a lottare
con animali più grandi,
muoio a causa di un ragno!».

# IL CERBIATTO E IL CERVO

Nel bosco, un bellissimo cerbiatto
stava diventando grande, e desiderava
assomigliare in tutto e per tutto
a suo padre, il cervo.

Attendeva con ansia che gli spuntassero
grandi e robuste corna sulla testa.

Un giorno il cerbiatto chiese a suo padre:
«Perché tu che sei così forte e hai corna enormi
hai tanta paura dei cani?».
Il cervo disse: «Sono codardo e quando
sento i latrati scappo via subito».

Il cerbiatto, per consolare il cervo, gli disse
che anche il leone, che è il re della foresta,
scappa davanti ai cacciatori.
In quel momento un cane in lontananza abbaiò...
e il cervo si mise a correre più veloce che poteva.

Nessun incoraggiamento
può rendere più forte o sicuro
chi per propria natura è debole.

55

# LA VOLPE E L'UVA

Una volpe affamata vide un pergolato
da cui pendevano succosi grappoli d'uva
e provò ad afferrarli, ma non le riuscì.

Allontanandosi disse fra sé:
"Beh, del resto sono ancora acerbi".

Così anche certi uomini,
non riuscendo a realizzare
i loro progetti, fingono
di non essere più interessati.

59

# IL LEONE
# E IL SORCIO

Un gruppo di sorci di campagna stava giocando
nel bosco. Uno di loro, correndo, si allontanò un po'
dai suoi amici e, senza accorgersene, inciampò
su un leone che stava dormendo.
Questo lo afferrò con una zampa per mangiarselo...

Il sorcio chiese al leone di risparmiarlo:
«Se mi liberi, ti assicuro che te ne sarò
per sempre grato e non te ne pentirai!».
Il leone, ridendo a crepapelle,
lasciò libera la preda.

Dopo alcuni giorni il leone finì nella rete di un cacciatore.
Il sorcio sentì le sue grida e accorse in aiuto...

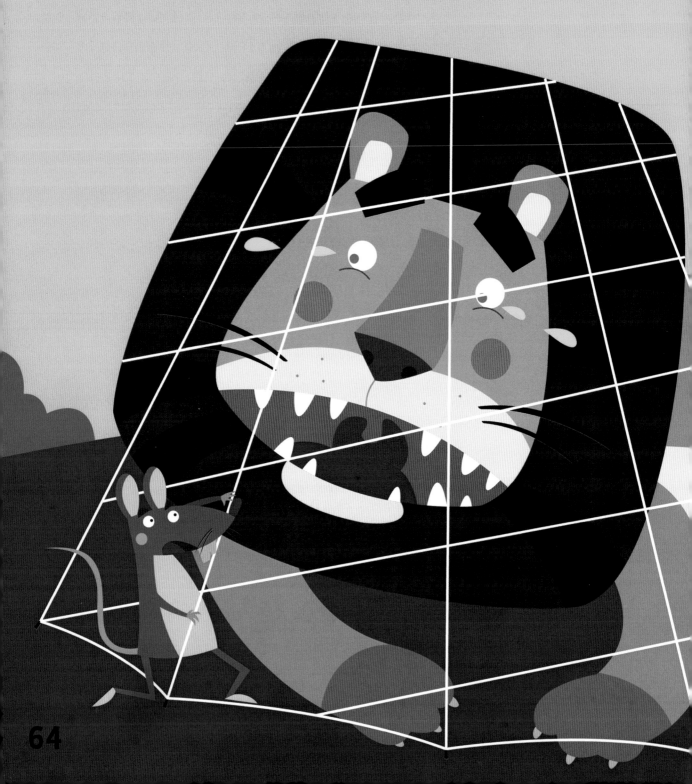

Con i suoi dentoni il sorcio rosicchiò la rete
e in fretta liberò il re della foresta.
Poi gli disse: «Ti sei preso gioco di me
quando ti ho promesso la mia riconoscenza,
ma ti ho dimostrato che io, così piccolo,
posso essere utile a uno grande e forte come te.
Ti ho salvato la vita!».

# LA VIPERA E LA SERPE ACQUATICA

Una vipera andava sempre a bere
presso una sorgente e la serpe acquatica
che abitava in quelle acque proprio
non lo sopportava. Così si sfidarono a duello
e stabilirono che il vincitore sarebbe
diventato padrone della sorgente.

Le rane che abitavano con la serpe
promisero di aiutarla.
Quando cominciò la battaglia si misero
a gracidare a più non posso.

Alla fine vinse la vipera.

La serpe allora si rivolse alle rane:

«Bell'aiuto! Io combatto e voi cantate!».

E quelle risposero:

«Con la voce noi diamo il nostro aiuto!».

La favola insegna che, a volte,
le parole da sole non bastano.

# IL CAMMELLO, L'ELEFANTE E LA SCIMMIA

Tutti gli animali si erano riuniti
per eleggere il loro re.
Il cammello e l'elefante speravano
di essere eletti, viste le loro grandi
dimensioni e la loro forza.

Ma la scimmia si alzò in piedi e disse:
«Nessuno dei due è adatto a diventare re.
Il cammello non si arrabbia mai, nemmeno
per le cose ingiuste, e l'elefante ha paura
dei porcellini, che quindi potrebbero
attaccarci!».

A volte, sono proprio i piccoli punti deboli
a ostacolare le nostre grandi imprese.

# IL TOPO DI CITTÀ E IL TOPO DI CAMPAGNA

Un giorno un topo di campagna ricevette
la visita del cugino di città. Lardo e fagioli, pane
e formaggio erano tutto ciò che poteva offrirgli,
ma glieli diede volentieri. Il topo di città si lamentò:
«Non riesco a capire come tu possa mangiare
un cibo così misero! Vieni in città, e ti farò
vedere io come si vive!».

I due cugini si misero in cammino,
arrivarono alla casa del topo di città
a notte tarda e si recarono
nella grande sala da pranzo.
Vi trovarono i resti di un banchetto
e iniziarono a divorare dolci
e altre cose buone.

A un tratto si spalancò la porta ed entrarono
due enormi mastini, i cani di casa: i topi ebbero appena
il tempo di saltar giù dalla tavola e di correre fuori.

Il topo di campagna esclamò:
«Addio! Meglio lardo e fagioli in pace
che dolci e marmellata nell'ansia!».

# IL GRANCHIO E LA VOLPE

Un granchio amava vantarsi con gli abitanti del mare perché lui poteva vivere dentro e fuori dall'acqua.

Un giorno, in cui c'era un bel sole caldo,
il granchio camminava allegro sulla spiaggia,
canticchiando la sua canzone preferita...

Quello stesso giorno, anche una giovane volpe
si aggirava per quella spiaggia, affamata
e in cerca di qualcosa di fresco e gustoso...
Quando il granchio si fermò a contemplare il mare,
la volpe si avvicinò silenziosa e poi fece un gran balzo,
pronta a mangiarselo.

Il granchio quasi morì di paura...
ma poi alzò le tenaglie taglienti e colpì
il muso della volpe, che scappò via.
Il granchio, allora, rapidissimo,
si tuffò in acqua, al sicuro nel mare.

Come lui, chi non presta attenzione alle situazioni nuove, rischia di finire in guai molto seri.

# L'ASTRONOMO

Tutte le sere, dopo che si era fatto buio,
un astronomo usciva di casa e passeggiava,
con il naso all'insù per guardare e studiare
le stelle e i pianeti.

Una sera, però, vagando per la campagna,
l'astronomo non si accorse di un grande buco
e ci cascò dentro!

Si mise a gridare e un uomo,
che passava di lì, si avvicinò e gli disse:
«Tu che guardi il cielo per veder le stelle,
non hai guardato in terra e così
non hai visto il buco!».

# L'ALCIONE

L'alcione era un uccello solitario che,
per sfuggire agli uomini, decise di costruire il suo nido
presso una ripida scogliera a picco sul mare.
Lì si sentiva al sicuro.

Un giorno l'alcione andò in cerca di cibo.
Proprio mentre cacciava al largo, grossi nuvoloni
si avvicinarono rapidi, il vento cominciò a soffiare forte
e il mare si fece mosso e tempestoso.
L'alcione capì che il suo nido era in pericolo.

95

Volò più in fretta che poté, ma quando giunse alla scogliera
era troppo tardi; le grosse onde l'avevano distrutto.
Triste e sconsolato l'alcione pensò: "Oh povero me!
Per scappare ai pericoli della terra mi sono rifugiato
vicino al mare, che si è dimostrato ancora più crudele
e mi ha portato via tutto!".

Così molti uomini, per sfuggire al nemico,
finiscono tra le braccia di un nemico
ancor peggiore.

# L'ASINO E IL LUPO

Mentre pascolava in un prato,
un asino vide un lupo che si avvicinava.
Sentendosi in pericolo, si mise a zoppicare.
Il lupo si avvicinò: «Perché zoppichi?».
E l'asino rispose: «Una spina mi si è infilata
nello zoccolo!».

Il lupo pensò che, per potersi mangiare
l'asino senza ferirsi con la spina,
sarebbe stato meglio toglierla,
e si offrì di aiutarlo.
L'asino allora sollevò lo zoccolo
verso il lupo e sferrò un calcio
che gli ruppe tutti denti.

101

L'asino corse via veloce, mentre il lupo,
dolorante, si diceva:
"Avrei dovuto mangiarlo senza tentare
di curarlo. Con la spina nello zoccolo
non sarebbe stato meno buono!".

Molto spesso è meglio limitarsi
a fare quello che si è capaci di fare.

# IL CINGHIALE E LA VOLPE

Gironzolando per il bosco, una volpe
vide un cinghiale che si affilava le zanne
su un grosso albero. Si guardò intorno,
in cerca di qualche pericolo,
ma non scorgendo nulla si avvicinò
al cinghiale...

«Perché affili le tue zanne se niente ti minaccia?»
gli chiese.
«Se fossi davvero nei guai avrei forse il tempo
di prepararmi a combattere il nemico?»
rispose il cinghiale.

La volpe capì che aveva ragione:
conviene essere sempre pronti per ciò
che ci potrebbe accadere.

# IL CONTADINO
# E L'ALBERO

Un contadino aveva un campo rigoglioso
che dava ogni genere di ortaggi, legumi e cereali.
Proprio nel mezzo cresceva un grande albero
dalla folta chioma, rifugio di uccelli,
farfalle e cicale.

L'albero, però, non dava frutti e per questo
il contadino decise di tagliarlo.
Con l'accetta prese a dare forti colpi al tronco.
Uccelli, farfalle e cicale pregarono
il contadino di fermarsi.
«È la nostra casa e se stiamo qui possiamo
rallegrarti con i nostri canti e i nostri colori!»
gridarono insieme.

Ma il contadino non li ascoltò.
Un colpo dopo l'altro, arrivò quasi al centro
del tronco, dove scoprì un favo pieno di miele.
Gettò l'accetta, scansò lo sciame di api
e assaggiò il delizioso nettare.
In quel momento decise di prendersi cura dell'albero
e disse a tutti i suoi abitanti di rimanere tranquilli
al riparo della verde chioma.

È solo grazie alle api se gli uccelli,
le farfalle e le cicale conservarono
la loro casa.

# IL CORVO
# E LA VOLPE

Un corvo aveva rubato un pezzo di formaggio
ed era andato a posarsi su un albero.
Lo vide una volpe e le venne subito voglia
di mangiarsi il formaggio. Allora cominciò
ad adulare il corvo, tessendo lodi del suo corpo,
della sua bellezza e della lucentezza
delle sue penne.

La volpe disse al corvo che nessuno
era più adatto di lui a essere
il re degli uccelli e che lo sarebbe
diventato senz'altro, se solo
avesse avuto la voce.
Il corvo, allora, volendo
mostrare che neanche quella
gli mancava, gracchiò con tutte
le sue forze, facendo cadere,
così, ciò che teneva in bocca.

CRA
CRA
CRA

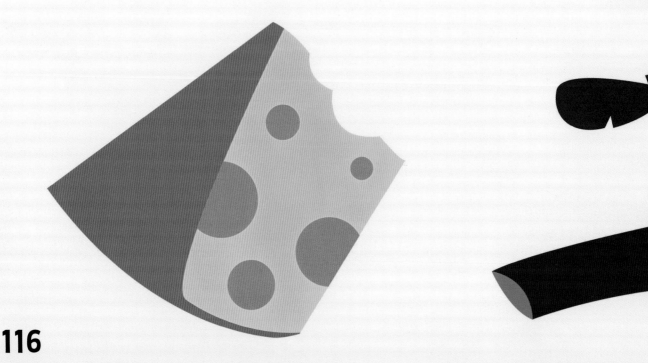

La volpe afferrò il formaggio e sbeffeggiò il corvo:
«Se avessi anche il cervello, non ti mancherebbe altro
per diventare re».

Chi si compiace degli elogi
degli altri, che usano i complimenti
per i loro interessi, finisce
col pentirsene amaramente.

# LA GALLINA
# DALLE UOVA D'ORO

Un contadino possedeva una gallina molto speciale:
tutti i giorni, alla stessa ora, faceva un uovo d'oro!
Dopo qualche tempo il contadino
non si accontentò più di un
solo uovo, e cominciò
a escogitare un piano
per averne di più...

Pensò che la pancia della gallina
doveva essere piena d'oro.
La uccise e, ahimè,
si accorse che non era così:
la sua gallina dentro
era uguale a tutte le altre;
non conteneva affatto oro!

Fu così che il contadino, non accontentandosi di un solo uovo d'oro al giorno, per la sua avarizia perse anche quello.

# IL GATTO E I TOPI

In una grande casa vivevano indisturbati molti topi, che giocavano allegramente, mangiavano e si divertivano.

126

Un gatto che passava di lì
scoprì la casa, entrò e cominciò
a catturare i topi e a mangiarseli
uno a uno.
Da quel giorno non ci furono
più risate e allegria, ma paura
e silenzio... i topi se ne stavano
rintanati, sperando che il gatto
non li trovasse.

La caccia era diventata difficile
e il gatto, arrabbiato, si inventò
un trucchetto: si appese per la coda
al piolo di una scala e si finse morto,
sperando di stanare i topi.

Un topo coraggioso fece capolino
dalla tana e urlò: «Puoi fingerti un sacco,
un fantoccio o quel che vuoi,
ma noi non ci caschiamo!».

129

# IL LUPO PASTORE

Un lupo molto affamato si avvicinò a un gregge
mentre il pastore e il cane dormivano.
Si travestì con il mantello, il cappello e il bastone
del pastore, in modo da poter condurre con sé
le pecore e mangiarsele.

Provò anche a imitare la voce dell'uomo,
ma gli uscì un ululato spaventoso che svegliò
il gregge, il pastore e il cane. Doveva fuggire,
ma il mantello e il bastone gli erano d'intralcio:
il lupo inciampò e fu raggiunto dal cane e dal pastore,
che lo riempì di bastonate.

Il lupo tornò alla sua tana ferito e affamato
e piangendo pensò: "Volevo fare il furbo,
ma non ci sono riuscito. Sono nato lupo
e credevo di poter diventare pastore.
Meglio restare a stomaco vuoto
che prendersi tante bastonate".

# IL PAVONE E LA GRU

Un pavone si vantava delle sue splendide piume colorate
con una gru e la derideva per il suo aspetto
così semplice e banale.

138

«Forse le tue piume sono più belle delle mie, ma io posso volare in alto, fino a toccare le stelle, tu invece non sai levarti a più di un metro da terra, come i polli e le galline!» disse la gru al pavone.

È meglio essere ammirati per qualcosa che si sa fare piuttosto che vantarsi di come si appare, che non serve a nulla.

# LA CORNACCHIA E I COLOMBI

Sapendo che i colombi avevano cibo a volontà,
una cornacchia decise di rotolarsi nella farina:
tutta bianca si sarebbe intrufolata
nella colombaia per mangiare
e nessuno l'avrebbe notata.

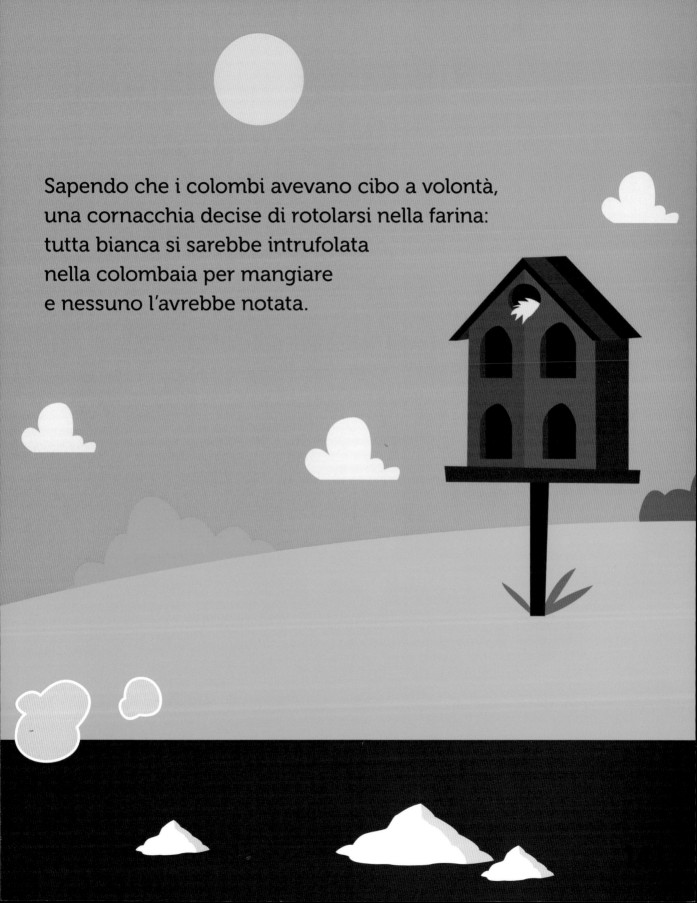

Il suo piano funzionò finché la cornacchia rimase zitta.
Ma quando, per sbaglio, gracchiò tutti i colombi
la smascherarono e la cacciarono via.

Ancora affamata, la cornacchia fece ritorno tra i suoi simili, scordandosi però di essere tutta bianca!
Le altre cornacchie la cacciarono via con gran sbattere d'ali e striduli versi. Fu così che la poveretta si ritrovò sola... e con una gran fame!

La favola insegna che bisogna accontentarsi di ciò che si possiede, perché l'avidità anziché dare, spesso toglie.

145

# LA LEONESSA E LA VOLPE

Una leonessa e una volpe erano molto amiche,
ma nel profondo del loro cuore ognuna invidiava l'altra:
la volpe desiderava il coraggio della leonessa,
mentre a questa sarebbe piaciuto avere la furbizia
della volpe.

Un giorno la volpe esclamò:
«Tu avrai anche un portamento da regina,
ma io sono una madre migliore!
Ho avuto ben cinque volpacchiotti;
tu, invece, hai un solo figlio,
che sembra triste senza fratelli!».

149

La leonessa rispose: «Io ho un solo cucciolo,
ma vale più di ogni altro animale,
perché un giorno sarà re!».
La volpe non rispose e ingoiò la propria gelosia.

Non serve a nulla invidiare
ciò che non si possiede:
ognuno deve sfruttare
quello che la natura gli offre.

# IL PIPISTRELLO
# E LE DONNOLE

Un giorno un giovane pipistrello,
giocando con i fratelli nella cavità
di un albero, si sporse un po' troppo
e cadde giù. Una donnola lo catturò
e disse: «Avevo proprio voglia
di un gustoso uccellino».

Stava per addentarlo quando il pipistrello gridò:
«Ferma, lasciami andare, non vedi che
non sono un uccello, ma un topo?».
Allora la donnola lo lasciò andare,
risparmiandogli la vita.

Dopo qualche giorno il pipistrello
cadde e di nuovo finì tra le zampe di un'altra donnola,
che disse: «Avevo proprio voglia di un gustoso topino».
Stava per addentarlo quando il pipistrello gridò:
«Ferma, lasciami andare, non vedi che
non sono un topo, ma un uccello?».

Allora la donnola lo lasciò andare,
risparmiandogli la vita.

La favola insegna che ci si può
sottrarre ai pericoli adattandosi
alle circostanze.

# I DUE SCARABEI

In una piccola isola pascolava un toro
e due colorati scarabei si cibavano del suo sterco.
All'avvicinarsi dell'inverno uno dei due scarabei disse:
«Vado sul continente, così nei mesi freddi qui avrai
abbastanza da mangiare. Se troverò cibo in abbondanza,
ne porterò anche a te...».
E volò via.

Nel continente c'era sterco a volontà;
era molle ma molto ghiotto.
Lo scarabeo si stabilì lì e per mesi
si fece grandi abbuffate,
fino a diventare bello grasso.

Al giungere della primavera, lo scarabeo tornò nell'isola.
Quando il suo amico lo vide tanto grasso e felice sperò
che avesse portato con sé un po' di cibo anche per lui.
Ma lo scarabeo disse: «Nel continente c'è tanto
da mangiare, ma lo sterco è molle, e non ho potuto
portare nulla con me!».

# IL CANE, IL GALLO E LA VOLPE

Un cane e un gallo erano amici e insieme giravano il mondo. Una sera si fermarono vicino a un albero e si sistemarono per la notte: il gallo si appollaiò sui rami e il cane si acciambellò ai piedi del tronco.

165

La mattina presto, come tutti giorni, il gallo
appena sveglio cantò!
Da lontano una volpe lo udì e corse fino all'albero
per adulare l'uccello e il suo canto:
«Scendi, voglio abbracciarti per complimentarmi con te!».
E il gallo rispose: «Prima dovrai svegliare il guardiano
che dorme qui sotto».

La volpe non fece in tempo a muoversi
che il cane balzò fuori e la attaccò,
facendola scappare a gambe levate.

Questo insegna che molte volte è saggio,
per sconfiggere i propri nemici,
farsi aiutare da qualcuno più forte di loro.

# LA TALPA E SUA MADRE

Che le talpe sono quasi cieche lo sanno tutti,
ma una piccola talpa sembrava averlo dimenticato.
Un giorno, infatti, corse da sua madre ed esclamò:
«Mamma, mamma, ci vedo!
Vedo gli alberi e i fiori, e gli uccelli...».

La madre la mise alla prova: le diede un grano di incenso
e le chiese di indovinare cos'era.
«Una pietruzza!» ripose la talpa.
Allora la madre disse: «Tesoro mio, non solo tu non ci vedi,
ma hai anche perso l'odorato, perché non riconosci
il profumo di un grano d'incenso!».

I fanfaroni si vantano di cose impossibili
e poi fanno figuracce per quelle più semplici.

# LA VOLPE
# E IL CAPRONE

Una volpe assetata scese a bere
in fondo a un pozzo, da cui poi non
riusciva più a risalire.
Un caprone, anch'esso assetato,
chiese alla volpe se l'acqua era buona
e la volpe disse di sì, convincendo
il caprone a scendere.

Bevvero insieme in fondo al pozzo, poi anche il caprone
si accorse che erano intrappolati.
La volpe allora suggerì: «Appoggia le zampe anteriori
al muro; io salirò sulla tua schiena e sulle tue corna
e, una volta fuori, ti aiuterò a uscire.»
E il caprone obbedì.

Quando la volpe si trovò fuori dal pozzo
sana e salva salutò il caprone e se ne andò via...
Fidarsi è bene, ma a volte non fidarsi è meglio!

# IL NIBBIO
# E IL SERPENTE

Un serpente stava strisciando fra le pietre,
quando un nibbio gli piombò addosso,
afferrandolo con il becco.
Il serpente allora gridò:
«Lasciami andare! Non ti ho fatto niente!».
Ma il nibbio non lo ascoltò.

Il serpente, allora, si avvolse su se stesso e,
con un'abile mossa, diede un morso al suo nemico.
Il nibbio aprì il becco e il serpente cadde al suolo
senza farsi alcun male.

Il nibbio, invece, a causa del morso, precipitò e si ferì.
Il serpente gli disse: «Non volevo farti del male,
ma tu mi ci hai costretto!».
Trascorsero due giorni prima che il nibbio
riprendesse a volare, e da allora si tenne sempre
a distanza dai serpenti!

La favola mostra che chi è prepotente
prima o poi paga di persona
per le sue cattiverie.

# L'USIGNOLO E LO SPARVIERO

Un usignolo cantava,
come sua abitudine,
appollaiato su un'alta quercia.
Uno sparviero molto affamato
si accorse di lui, gli piombò
addosso e lo catturò.

187

Stava per ucciderlo, ma l'usignolo
gli disse di lasciarlo andare, perché lui
non bastava a riempirgli lo stomaco:
doveva cacciare un uccello più grosso,
se voleva davvero sfamarsi.
«Sarei uno sciocco se lasciassi andare
il pasto che ho tra le zampe, per correre dietro
a quello che non ho!» rispose lo sparviero.

Così anche gli uomini sono stolti se,
nella speranza di ottenere beni maggiori,
si lasciano sfuggire quello che hanno
tra le mani.

# INDICE

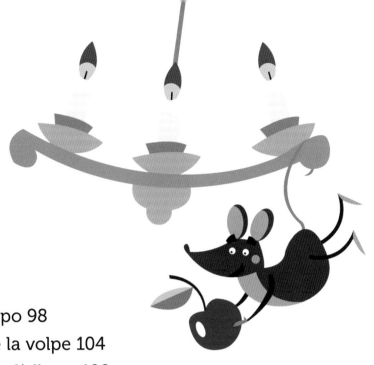